Pas dans la vie pour rig☺ler
Couillonnades

Pierre Campagnolle

Pas dans la vie pour rig☺ler
Couillonnades

LE LYS BLEU
ÉDITIONS

Préface

Tac, tac, tac. La balle rebondit, tel le coucou d'une horloge sur la table de bois.

Coup droit. Revers. Revers. Coup droit. Le geste est celui d'un métronome. Le regard hypnotique ne lâche pas la trajectoire fulgurante du capricieux petit morceau de celluloïd.

C'est ainsi que, dans les années 80, j'ai connu Pierre Campagnolle, alors joueur de tennis de table de niveau international, discipline qui n'a rien à voir avec le ping-pong dont le seul but est de parier l'apéro les soirs d'été.

Pierrot était la vedette du sport-études du lycée Vaugelas de Chambéry. Champion de France juniors et bientôt champion d'Europe par équipes. Une épée. Un cador.

Je rêvais de devenir journaliste de sport et ce grand escogriffe tout aussi capable de mettre un masque pour mieux dormir que de dévisser consciencieusement toutes les vis des salles de classe avait la nonchalance stylée du mec qui cultivait de belles valeurs.

Il m'a expliqué le top spin. Je lui ai fait découvrir Springsteen.

On a grandi, rigolé, dragué, pleuré, couru, chanté ensemble.

On a même eu le bac.

Pierre a continué sa route jusqu'à ce qu'il glisse dans l'escalier qui mène vers les sommets du sport. Il en a gardé la culture et, sans acrimonie, le goût de l'effort. Il a migré plus au sud, dans le Languedoc et a construit sa vie, authentique exploit à notre époque, avec la femme qu'il a rencontrée au sortir de l'adolescence.

Pas tout à fait passé au ping-pong, il reste à bientôt soixante ans, une valeur refuge du tennis de table. Il a avancé à son rythme, à l'aise dans ce monde de brutes, lucide sur le sens de la vie. Loin, tellement loin, de la machine à gagner du lycée Vaugelas mais toujours aussi attachant.

Parfois, les potes de lycée disparaissent de votre univers. On les voit moins. On ne les entend plus. Pierre fait partie des gens avec qui, des années après, la phrase reprend là où on l'avait laissée, avec juste quelques cheveux gris sur les tempes en plus.

Un SMS. Pierre est devenu un homme moderne. Un mail. « J'ai écrit des couillonnades. T'en penses quoi… »

J'ai mis du temps à comprendre qu'il voulait que j'ouvre le bal et que je pose mes mots sur les siens.

J'ai lu. C'est drôle. C'est tendre. C'est corrosif. À l'image du garçon qui dans sa vie a aimé Borg, Dire Straits, Isabelle Martinet, Cioran, Dragan Surbeck, Desproges, Patrick Munier et a joué au tennis de table plutôt qu'au ping-pong.

Tac. Tac. Tac. Un mot. Une phrase. Ce ne sont pas des couillonnades, mon Pierrot. C'est juste une autre belle page de ta vie.

Yves Perret

Rira bien qui rira le premier

Le rire est calorique, il est même hyper protéiné puisqu'il équivaut à un steak, mais qu'en est-il pour les végans ? Lorsqu'ils rient à gorge déployée, obtiennent-ils la même compensation en légumes et graines germées ?

Pour nous rendre la vie plus légère, ne boudons jamais une occasion d'actionner nos zygomatiques. L'existence étant ce galimatias tragi-comique, cela nous laisse la moitié de la journée pour nous dérider. Quant à la moitié tragique, rien ne nous empêche de la grignoter mais en certaines circonstances, la bienséance nous demandera de nous en tenir à un rire intérieur.

Quand tout fout le camp, que reste-t-il à part le salutaire pouffement ? Laissez-vous contaminer par les riants et les drôles, voyez où sont vos limites : chez le dentiste peut-être, quand il a démonté vos mâchoires et qu'il a été radin sur le liquide anesthésique ; ou quand les doigts sont restés coincés dans la porte, et là, votre hurlement ne peut être confondu avec un rire franc et massif.

J'ai un beau-frère surnommé la baleine qui ne manque pas une occasion de faire admirer ses fanons. N'hésitez pas à vous référer à des exemples de cocasserie, comme ce condamné trébuchant sur une marche menant à l'échafaud et s'écriant : ça commence bien !

Et que reste-t-il sur le faciès du bouddha quand il a tout évacué, souffrance, maladie, vieillesse, mort, comment je m'habille ce matin : un énigmatique sourire !

Vous prenez la vie au sérieux : vous allez être payé en retour.

Le rire est la politesse du désespoir ; mais oui, quand tout fout le camp, relativisez, vous n'êtes qu'un parmi la centaine de milliards d'individus à s'être succédé sur cette planète, faites dégonfler ce nombril hypertrophié, moucherons parmi les moucherons mais plutôt moucherons hilares !

Quel meilleur moyen pour contrebalancer l'inquiétude et l'angoisse ? Convenons que souvent, c'est quand même bien moins grave que si c'était pire, on croyait à tort être au bout de sa vie, un pied dans la tombe et l'autre sur une peau de banane…

Dites-vous qu'un Occidental à sa naissance aura comme principale tâche la gestion et maîtrise de son anxiété ; alors certes, ce n'est pas chose aisée, et les occasions de se prendre les pieds dans un verre d'eau ou de se noyer dans la moquette seront multiples, mais échangeriez-vous votre vie contre celle d'un Africain ou d'un Asiatique dont la principale tâche est la survie ? Quand en plus celui qui a tout tire la gueule, alors que celui qui n'a rien fait montre d'un sourire jusqu'aux oreilles ?

Résumons-nous : accueillez toutes les formes et couleurs du rire, du sou, du fou, du jaune, mais ne versez pas dans la vulgarité, ça déborde déjà de partout !

Vivre avec son temps

Ce n'est qu'après dix minutes d'essais-erreurs que j'ai trouvé la solution : la photocopieuse-imprimante-scan (mais pas cafetière) se charge par le haut ! J'avais beau approcher la feuille vierge et essayer de la rentrer en variant les angles, rien à faire : la sortie c'est la sortie ! Autant la mémoire peut être impeccable dans les domaines qui nous intéressent et dont l'utilité reste à démontrer (les villes hôtes des Jeux olympiques d'été depuis 1896, le nombre des symphonies de Wolfgang), autant elle nous joue des tours quand il s'agit de se frotter aux dernières technologies, pas si récentes que ça à la réflexion (on t'a montré plein de fois), mais quand ça veut pas, ça veut pas !

Comme le souligne à l'évidence le ton plus sel que poivre de ma toison crânienne, je suis resté à l'argentique, pas pris le virage du numérique. Pas réussi à surmonter le trauma de la fin des bonnes vieilles pellicules photos (tu verras, maintenant c'est génial, t'en fais autant que tu veux).

Oui mais moi ce qui me plaisais, c'était le côté unique d'une photo, resté un nostalgique de l'antenne-râteau. Pas emballé par la box et sa fibre (regarde ça marche pas, faut tout réinitialiser), bref, plus c'est dernier cri plus on enrage.

Et le téléphone à cadran avec le répertoire alphabétique des personnes, c'était autre chose que le Smartphone et ses contacts. Et tous ces écrans qui font écran à la vie mais lâchez-les nom de Zeus, allez-vous aérer, marchez, pédalez, jardinez, prenez exemple sur les dingos de la Silicon Valley : voyant les ravages des écrans sur les neurones de leur progéniture, ils déboursent bonbon pour les éloigner du numérique, le moins possible en contact avant 16 ans, on va vous enseigner la dentelle, le tricotin et le point de croix !

Rentrons en résistance, haro sur la 4G, la 5G et sur les suivantes, de la frugalité, de la sobriété : un appareil basique bloqué sur le mode silencieux, des messages rares et brefs en prenant soin de mettre la ponctuation, car il s'agit de redorer le prestige de la langue française et de revenir au temps où l'on s'étranglait pour une virgule mal placée.

Ne vous laissez pas posséder par ce gadget, vous valez bien mieux, enfouissez-le durablement dans la poche, vous éloignerez la cervicalgie et la tendinite du pouce ; car fébrile, avec une attention de tous les instants pour ne pas passer à côté de quelque chose, êtes-vous sûr de ne pas passer à côté de la vie ?

On vous contacte ? Sûr, vous êtes polis, vous allez répondre, mais pas dans l'instant ou même un peu avant comme vous voudriez le faire, mais oups, trop tard, le message est parti, vous avez perdu une occasion de vous taire, vous avez changé d'avis : « c'est plus comme ça que je le ressens maintenant ».

Pourtant, fort de toutes ces résolutions, moi qui menais une existence discrète, je n'ai pas pu y échapper : on s'est aperçu que je n'avais pas d'adresse, on m'en a infligé une ; j'ai esquivé pendant des années mais un jour, ça vous tombe dessus : reste plus qu'à vivre avec.

Mon prénom est James

Sohan a cinq ans, son cerveau n'est pas configuré pareil que les autres, c'est sa mère qui le dit. Il est en grande section de maternelle mais ne vient que deux demi-journées par semaine, ça semble être le bon tempo au regard des trente-six semaines de l'année scolaire. Quand la panique le saisit, il pousse des cris et peut devenir violent envers le matériel et lui-même. Les autres enfants ne sont pas plus impressionnés que ça, ils sont habitués, cependant il faut l'évacuer de la salle de classe et une fois à l'air libre, la tension redescend aussi vite qu'elle est montée.

Pour ce qui est des troubles autistiques, on dit que c'est le trop-plein d'informations et de stimuli qui crée l'angoisse et la crise. Cela ne se passait pas toujours bien avec la précédente A.V.S. qui voulait avant tout que Sohan tienne bien son stylo pour écrire correctement son prénom.

Quelle attitude adopter pour lui rendre les instants plus légers ? De la douceur toujours et de l'humour souvent. On a vu ces clowns qui déclenchent les rires dans les pavillons pour enfants cancéreux. Du coup tout devient prétexte pour étonner, surprendre et amuser Sohan, marcher à reculons, remonter les puzzles une pièce à l'endroit, une pièce à l'envers…

Un jour, sa mère pousse un cri de joie « vous êtes sûr, il s'est assis sur les W.C. ? » Difficile de comprendre ce qui suscite tant d'enthousiasme, la mère explique dans la foulée qu'il porte des couches, qu'il n'a jamais utilisé les toilettes ni le pot. C'est en suivant un enfant qu'il a agi par mimétisme et qu'en observant un garçon, il a percuté sur la fonctionnalité de l'urinoir.

Petit miracle de l'inclusion, politique que les gouvernements appliquent depuis une vingtaine d'années, ce qui permet de fermer des places trop coûteuses dans les établissements spécialisés.

J'ai croisé Sohan deux ans plus tard à la grande école, « il a fait de gros progrès et se présente même en anglais », m'a dit sa mère avec fierté.

James a trois ans, mais physiquement, il en fait le double. Sa mère a eu connaissance de l'activité que proposait l'association sportive, de l'éveil moteur pour les 3-6 ans. Lors de la première séance « portes ouvertes » synonyme de prise de contact, il ne lâche pas la main de sa mère et se contente d'observer les autres enfants. Ses yeux croisent un objet bizarre, c'est un ballon énorme, un swiss ball, les enfants s'assoient dessus et se déplacent en rebondissant. Ni une ni deux, James pique un sprint, plonge en allongeant les bras comme un gardien de but et heureusement pense à rentrer la tête au moment où il fait une roulade en épousant le ballon. Wahou, la figure artistique est aussi surprenante que parfaitement exécutée, l'entourage en est pantois.

La maman prend rendez-vous pour le mercredi suivant, elle règle le montant de la cotisation, James est le premier inscrit.

Dès les cinq premières minutes de la première véritable séance, on se dit que ça ne va pas être de la tarte et qu'il faudra en permanence un adulte en protection rapprochée autour de James : il est hermétique à toutes les consignes et présente un danger pour les autres enfants vu son gabarit. Il fait encore chaud en ce mois de septembre, fenêtres et portes sont ouvertes mais c'est James qui se transforme en courant d'air, il surprend tout le monde et une fois à l'extérieur, continue sa course et traverse la route… en chaussettes !

Nous terminons le cours comme nous pouvons, portes fermées et fébriles à la pensée qu'une voiture aurait pu percuter un enfant qui traverse à l'aveugle. Le chèque est rendu à la maman qui vient rechercher son fils, elle comprend qu'il est difficile de continuer dans ces conditions…

Quelques années plus tard, un enfant fait le spectacle dans l'impasse où j'habite, il déambule en équilibriste en faisant des allers-retours sur un muret pas plus large qu'une poutre de gymnastique. Le grand-père résidant à proximité surveille les allées et venues de son petit-fils, et même si le danger est réel, difficile de contrarier la motivation du funambule, les « fais attention James » ne changent pas grand-chose à l'affaire.

James a quatre ans de plus que lors de notre première rencontre et décidément le monde est petit. Je lie connaissance avec le grand-père dont la bonhomie a une action apaisante sur son petit-fils, il m'apprend que James suit une scolarité dans une école spécialisée, qu'il a des soins appropriés et qu'il est inscrit à l'école du cirque. Sa mère ne tarde pas à arriver et comme elle ne me remet pas, je lui rafraîchis la mémoire.

« Ah oui, il a traversé la rue », me dit-elle, vous avez eu peur d'aller en prison (!), il a fait ça aussi au centre aéré…

Pendant ce temps, James fait sa vie, une fois qu'il a utilisé un jouet, il le jette et passe à un autre.

Que penser de ces jeunes existences cabossées ?

Et des existences de l'entourage, cabossées également ?

Doit-on considérer la vie de ces enfants à l'aune de la souffrance humaine ou plus positivement penser que la vie est fascinante de diversité au regard de toutes ces destinées humaines ?

Une indubitable réputation de monogame

Pendant longtemps, j'ai pensé qu'être monogame, c'était ne s'intéresser qu'à une seule gamme, en l'occurrence les brunes. Ce n'est qu'à l'usage et après de longues années de flou artistique que j'ai compris que ce terme revêtait un caractère exclusif : un partenaire unique et les vaches et les cochons seront bien gardés. Ce message, relayé par les honnêtes gens et toutes sortes de religions monothéistes interpellait le passionné de liberté en hypervigilance en moi, qui y voyait là quelque chose de simpliste et de réducteur.

Ayant mis du temps à voir la beauté, étant plus auditif que visuel, j'étais devant une interrogation : que faire des créatures attirantes que l'on croise tout au long de la vie, des belles comme une autre femme, des belles comme la femme d'un autre ? Faut-il par principe se conduire en malvoyant, enfouir son désir dans sa poche avec le mouchoir dessus ? Les gens de bon conseil vous le diront : nier le désir peut aboutir à la névrose et à la dépression. Mais quand on est déjà en plein dedans ?

À ce stade, une discussion les yeux dans les yeux s'impose ; dans une ambiance sereine et apaisée ; faut-il être manichéen et penser que la vérité réside dans le tout ou dans le rien ?

Une vie est longue en théorie et tellement de choses peuvent se passer avant que la tyrannie hormonale ne prenne fin.

Dans un climat empreint de loyauté et de confiance mutuelle, un point d'équilibre et d'entente peut être trouvé, histoire de ne pas avoir à planquer l'amant(e) dans le placard ; mais même dans ces nobles dispositions, vous allez jouer au funambule progressant sur une slackline et se demandant si le dispositif d'assurage est bien fonctionnel ; ou au gardien de foot au moment du penalty : je choisis un côté et je plonge mais... je prends le but de l'autre côté !

Bah, pas d'affolement, y a pas le feu au lac, on est tous pris dans le grand tourbillon ; la vie, c'est ce qui vous arrive en dehors de tout ce que vous avez prévu ; si à l'avenir les enfants qui naissent de votre femme ne vous ressemblent plus, soyez humbles, au fond on est peu de chose, faites-vous petit, c'est quand on prend trop de place que les problèmes commencent...

Et pour tout dire, quand dernièrement, ma copine, dont la rencontre remonte à Mathusalem, m'a annoncé tout de go que j'étais un bon coup, je me suis dit qu'il valait mieux entendre ça que d'être sourd.

Depuis, en analysant un peu, je ne sais toujours pas si c'est une bonne nouvelle…

Pas dans la vie pour rigoler

La Norvège regorge de merveilles. À la distribution des attributs de la nature, ce pays est arrivé à l'heure et même un peu en avance et a tout raflé : littoral découpé, de la nouveauté tous les 50 pas, les montagnes qui se jettent dans la mer et en quelques occasions les glaciers qui font de même ; et que dire des fjords et de la couleur de l'eau, avec en prime du poisson qui fait ployer la ligne sitôt que vous allez au nord. Glissez çà et là des « églises en bois debout » et le tableau sera parfait.

Cependant, tout se nuance dès que le baromètre s'oriente à la baisse et que l'humidité et la grisaille rentrent dans la partie en vous faisant oublier où vous êtes, et que d'humeur morose, vous pestez d'avoir fait le choix de la Scandinavie alors que c'était bien plus simple d'aller prendre couleur au Sud.

Question nourriture, si le stock de boîtes de conserve est épuisé, il est judicieux d'aller taquiner la sardine, la morue, le maquereau, quand on sait que tout ce qui sort de l'eau est bon à manger. S'il vous faut passer par les épiceries et à fortiori par les restaurants, la monnaie norvégienne va affoler les compteurs, et l'euro que vous pensiez tout puissant sera vite débordé face à la couronne. Et pour prolonger le séjour, il faudra ressusciter le pêcheur-cueilleur qui est en vous.

Et alors qu'un énième leurre s'est accroché au monde sous-marin (cette fois ça suffit, en variant les angles de traction, je vais libérer l'hameçon), que croyez-vous qu'il arrivât ? Ce fut la canne qui céda !

Celle qu'on vous a prêtée et même confiée : « fais gaffe, c'est celle de mon père ».

Grand moment de solitude providentiellement interrompu par un autochtone, pas besoin de lui faire un dessin, il va comprendre tout de suite en voyant la canne pendouiller en trois morceaux, il doit s'y entendre en matos de pêche, d'ailleurs il a un bateau…

Que nenni, il s'est fendu d'un rictus peu empathique en traçant sa route maritime, restait plus qu'à ressusciter le cueilleur en soi…

Poursuivant nos vacances et alors que nous pérorions sur ces peuples venus du froid où il n'est pas toujours facile de briser la glace, s'est fait « sentir » le besoin de faire peau neuve car l'eau (salée) est frisquette et les lingettes, ça va cinq minutes…

Arrivant dans un camping sans l'idée d'y passer la nuit mais de seulement y prendre une douche, nous constatons que tant de pièces glissées dans un compteur donnent droit à tant de minutes de douche : ouf, soulagés ! On est dans les clous : la réputation du latin resquilleur n'est pas toujours vérifiée. Et quand, serviette autour de la taille et mousse sur le visage, j'entreprends le rasage, déboule alors une Norvégienne. Je comprends que j'ai à faire à la cerbère du camping. Ouverture des négociations, j'entends de l'autre côté de la cloison que ma compagne vit la même scène avec… un Norvégien !

— Pour prétendre à la douche, il faut se faire inscrire et payer la nuit.

— Mais nous payons la douche et nous reprenons la route.

Alors que la tension monte, je décide de laisser tomber la serviette (elle va me lâcher la grappe pour au moins terminer le rasage)…

Que dalle ! Nullement impressionnée (on la comprend), elle en remet une couche.

— J'appelle la police !

Cul nu, je ne suis pas en position de force.

Il a fallu débourser (!) l'équivalent de trente euros pour pouvoir décamper, pas de doute, ces gens-là ne sont Pas dans la Vie pour Rigoler.

Ce n'est pas le genre de mésaventure qui pourrait arriver en Espagne, quoique…

En nous promenant sur le littoral atlantique, nos regards ont flashé sur un C.R. ou Caillou Remarquable, un granit blanc de forme ovoïde qui aurait fait pâlir d'envie un Dali ; le flux et reflux de l'océan avait opéré en sculpteur-expert pour accoucher d'une forme parfaite façon œuf d'autruche. Nous avons un faible pour ces minéraux qui, une fois ramenés à la maison, serviront à l'érection de cairns et autres inukshuks. Problème : le granit pèse son poids et le véhicule est à une heure et demie de marche.

Qu'à cela ne tienne, nous marcherons un petit moment jusqu'à la première route, nous nous délesterons du C. R. et viendrons le récupérer avec la voiture. Tout se passa selon les plans, pourtant, véhicule en warning arrêté sur le côté, nous nous faisons klaxonner, c'est sûr nous gênons la circulation. Point du tout… Très vite, nous essuyons une première salve de griefs dans un français impeccable teinté d'un léger accent hispanique :

— Que faites-vous ? Vous n'avez pas le droit, c'est interdit ! Vous faites ça chez vous ?

Un couple de trentenaires nous tance depuis leur voiture, l'homme est plutôt mesuré dans ses propos, la femme pas du tout ; j'ai beau euphémiser en disant qu'il n'y a pas mort d'homme, la deuxième salve ne tarde pas :

— Je prends le numéro de la plaque et j'appelle la police.

Puis la voiture démarre sur les chapeaux de roue. Pas tranquilles, nous n'avons pas dormi dans le secteur le soir même. « P.d.l.V.p.R. ces gens-là », ai-je fait remarquer.

En me remémorant ces anecdotes, je plonge tout en introspection au fond de moi-même : me suis-je en quelque occasion départi de mon humour ? Non, j'vois pas… Ah si, peut-être là ou là… Et sûrement la fois où le voisin a pensé décrocher le pompon en élevant des chiots de race sous mes fenêtres ; une dizaine de saucisses sur pattes qui braillaient de bon matin et qui s'entassaient dans une cour minuscule de maison de ville ; destinés à la revente, les chiens-chiens trouvaient propriétaire à partir de 700 balles.

Un jour, j'ai vu rouge : me suis acharné sur la sonnette jusqu'à ce que « l'éleveur » daigne bien sortir et là, virile explication de gravure… Je sais ce qu'il a dû se dire :

— Pas dans la vie pour rigoler, ce gros con !

Axiomes

Les mathématiques peuvent surgir là où on les attend le moins. Cette discipline dont les adeptes sont considérés à tort comme des êtres froids, handicapés de l'émotion, peut se retrouver dans votre quotidien, alors qu'une fois le lycée terminé, vous aviez juré ne plus jamais vouloir la croiser.

Ma compagne et moi avions entrepris une sortie à ski. Un paquet de neige était tombé sur le mont Ventoux, l'occasion était belle et rare pour aller risquer quelques glissades sur le géant de Provence, l'idée étant de remonter à ski les derniers kilomètres non déneigés de la route, aller admirer le panorama hivernal puis rejoindre en fin de descente le premier café venu.

Une fois arrivé et sitôt changé dans la voiture, pressé d'en découdre avec le contexte neigeux, je m'assure que les clés sont rangées à leur place, mais non ! Dans ma hâte, elles sont restées dans le véhicule, première erreur, fermeture à l'ancienne avec les loquets abaissés manuellement, deuxième erreur…

Que des mauvaises solutions pour se sortir d'affaires : casser la vitre, mettre la main sur le double des clés, OK mais c'est à cent kilomètres d'ici…

Et là, miracle, le hayon est resté ouvert, la journée ne part plus en cacahuète, le bonheur est fait de la fin des petits soucis…

Un peu plus tard, rapportant cette anecdote à un copain, lui narrant par le détail le double oubli des clés et du hayon mal fermé, je reçus un résumé lapidaire :

— Moins par moins, ça fait plus ! Une évidence qui foudroya le littéraire en moi, assénée par un cerveau « bosse des maths » pas configuré pareil que les autres.

Et le parallèle est tout trouvé, l'autre fois au supermarché, les piles involontairement laissées au fond du caddie lors du passage en caisse et que l'employée n'a pas vues, « moins par moins, ça fait plus », le comble pour des piles !

Tout ça me replonge trente ans en arrière, une époque héroïque où le monde tentait de s'organiser sans l'utilisation des téléphones cellulaires, nous avions convenu avec un pote pongiste d'aller faire un ping près de chez lui. C'est qu'il fallait être motivé, cinquante bornes de distance pour avoir la satisfaction de renvoyer la balle une fois de plus que l'autre !

Nous alternions, cette fois, c'était, semble-t-il, à mon tour de me déplacer.

Quelle ne fut pas notre surprise quand après force appels de phares, nous nous sommes croisés au milieu de la pampa avec dans nos bouches la même phrase : « qu'est-ce que tu fous là ? »

Même 30 ans après, il faudra que je lui dise, « là, on n'était pas dans le moins par moins, sinon ça aurait marché », et j'ajouterai, avec un soupçon de mauvaise foi :

— On était dans le moins par plus, ça fait moins, et pour ma part je ne pouvais qu'être le plus…

La muse du temps sonore

J'aime la musique, toutes les musiques. Celle qui vous fait aller vers les autres et que l'on partage à plusieurs, ou celle que l'on écoute solo, qui vous fait rentrer en vous-même, remplissant votre intériorité. En pleine adolescence, à la trentaine, des amis m'ont offert un sweat-shirt avec imprimé en haut à gauche une citation du Roumain insomniaque : « La musique est le refuge des âmes ulcérées par le bonheur ». Et je m'en suis envoyé de la musique ! Je me souviens d'un début d'après-midi, où seul à la maison j'avais enchaîné les disques de classique jusqu'à tard le soir avec pour résolution de capter les moindres subtilités et variations. J'avais terminé cette session pas vraiment reposé, le cerveau saturé de sensations avec des haut-le-cœur limite nausée. Sans doute avais-je par-là manqué de mesure.

Et la fois où l'on m'a offert un Walkman, le coup de foudre de l'écoute totale en circuit fermé, une cassette de Dire Straits y était restée un mois, et tourne et retourne tous les jours, le budget piles…

Adolescents, nous avions eu une discussion : « Qu'est-ce qu'on place au-dessus de tout dans la vie » ?

Revenus de beaucoup de choses, ce n'était pas le sport, les filles…, quelqu'un avait avancé : la musique et cette suggestion m'avait fait un effet bœuf !

Je me revois débarquant un jour dans la chambre d'un copain, halluciné, limite bave aux lèvres et lui ordonnant : « Écoute ça » !

C'est qu'on en a jamais fini avec la musique, on délaisse les morceaux faciles, les accords entendus, les grosses ficelles, la soupe sonore. En revanche, difficile de faire le tour d'une pièce musicale bien léchée, de la géniale complexité ou simplicité d'une mélodie qui procure toujours du nouveau.

Idem de la chanson française quand le texte ou plutôt la poésie plaquée sur la musique fait immanquablement naître de l'inédit, déclenchant par-là de nouvelles sensations. Et la nuit, si vous subissez un intermède d'insomnie, l'écoute d'un morceau de choix décuplera l'émotion tout en donnant à la musique une dimension métaphysique.

Avez-vous ressenti l'extase auditive à la première écoute ? Schubert, fantaisie en fa mineur opus 103 pour piano à 4 mains, nirvana sonore de plus d'un quart d'heure, envie de se lever et d'applaudir tout seul à 4… mains !

Et l'Alléluia de J. Buckley, avec la profonde expiration qui démarre le morceau…

Le soir tombait, nous étions en quête d'un endroit calme pour garer la camionnette : cette départementale perdue sur la carte des Alpes de Haute Provence allait nous offrir ce que nous cherchions, restait plus qu'à dégoter une parcelle de plat pour éviter de dormir en pente. Et là, bingo, le top, vue imprenable sur un lac, direction ouest coucher de soleil prometteur. Une moto nous accoste, « is it free ? », of course, – la beauté se partage –, vaillant le couple qui monte la tente.

Mais quels sont donc ces hurluberlus qui déplacent les moutons ? Pas le profil de berger, et cette route qui devient bruyante…

Nous avons été réveillés vers une heure du matin, jusque-là nous avions dormi, entamés que nous étions par la longue randonnée du jour, mais là, bouchons d'oreille ou pas, plus moyen de se rendormir, la rave battait son plein.

Des hurlements d'humanoïdes en transe se faisaient entendre au milieu de basses assourdissantes invariablement hyperspeed. Au petit matin, plus de traces des motards. Au cours de cette nuit, la musique n'avait jamais acquis de dimension métaphysique et je reviens sur ce que j'ai dit : je n'aime pas toutes les musiques !

Elles de Vénus, eux de Mars

Les femmes n'aiment pas être aimées que pour leur corps.

Ça dérange moins les hommes.

Qu'on veuille bien louer ses muscles, sa carrure, sa souplesse suffit au coq.

Bien sûr, il aurait aimé révéler que ce corps sait aussi changer les plaquettes de frein et connaît par cœur la composition type du onze de l'équipe de France ; cependant, si la situation l'exige, il s'en tiendra à des considérations purement physiques. Question sexualité, sa disponibilité n'aura d'égal que son esprit de sacrifice.

Il est de bon ton d'être moins réducteur chez les femmes et de mettre en avant le concept de beauté intérieure trop souvent passé sous silence.

Si toutefois les deux sexes ne parvenaient pas à se rejoindre en zone mixte, si chacune et chacun n'arrivaient pas à mettre du rose dans le bleu et inversement, il serait dommage et même éminemment regrettable d'en arriver à cette extrémité : NE PAS S'AIMER.

C'est là un aspect inconfortable et très peu fonctionnel pour la continuité de l'espèce humaine ; car même en améliorant considérablement les techniques artificielles de fécondation, le taux de natalité chuterait dramatiquement et l'on serait tôt ou tard privé de la suite de l'aventure humaine.

Beaucoup ressentiraient de la frustration, un peu comme une série télévisée que l'on ampute de la dernière saison.

Pour celles et ceux qui n'auraient pas suivi les saisons précédentes, nous en sommes bien à la dernière.

Résumons les épisodes antérieurs : l'homme, descendu de l'arbre s'est dressé sur ses pattes arrière, ravi dans un premier temps que la vue soit dégagée. Dans un deuxième temps, il s'est organisé en meute, en troupe, en tribu et même en peuple et nonobstant quelques peignées à droite à gauche, il a crû et s'est multiplié jusqu'à manquer de place sur son radeau spatial.

Maintenant il étouffe, et même s'il lorgne vers d'autres radeaux, il a fait son temps : c'est le thème de la dernière saison.

On y verra l'homme, se démenant dans une chaleur suffocante, essayant de se rappeler les fondamentaux de la nage dans un niveau d'eau toujours plus haut, et se remémorant avec effroi le théorème : « Tout corps plongé dans un liquide ne réapparaissant pas au bout d'un quart d'heure est considéré comme perdu ».

Tout en reculant à l'intérieur des terres, il jalouse la longévité du règne des dinosaures, lui a fait plus court, ses millions d'années se comptent sur les doigts d'une seule main, c'était brillant et intense, cependant, le baisser de rideau est imminent.

Mais pour revenir à nos brebis et moutons, l'harmonie Venus-Mars peut exister si l'homme muselle son côté bélier, qu'il comprenne qu'en aucun cas il ne faut faire ça, taper la doudou.

Et à regarder de plus près l'alpha et l'oméga d'une vie, on constate qu'aux premiers âges garçons et filles jouent chacun de leur côté, qui aux billes, qui à l'élastique et qu'au crépuscule, on retrouve cette séparation, qui à la pétanque, qui au patchwork. Reste cette part de vie considérable où sous l'impulsion salutaire d'un flux hormonal, les vénusiennes et les martiens vont s'entrecroiser, (s'entre) fusionner, s'entredéchirer.

Ne pas s'en faire une montagne

Et pourtant…

Si la nature nous a pourvus de deux yeux, c'est qu'auparavant elle avait créé les montagnes et que cela aurait été dommage de ne pas les voir. L'horizontalité étant rasoir à la longue – oh morne plaine ! – il était intéressant de convoquer la verticalité, c'est aussi ce qui a fait sens chez les cruciverbistes.

Le bruit, l'agitation et les espaces clos ne sont pas votre tasse de thé ?

Allez infuser dans un massif ! Vous n'avez trouvé personne pour vous accompagner ? Qu'importe, vous aurez tout de même à regarder, écouter, sentir, toucher, goûter et le reste. L'ennui vous saisit en milieu urbain ? Il vous fuira en milieu naturel où vous trouverez aisément votre rythme entre action et contemplation.

Pour l'actif, vous conviendrez rapidement que « Life is movement », qu'il faut bien que le corps exulte. Bien connaître un dénivelé, le décliner sous toutes ses formes, marche, course, vélo, ski… rien de tel qu'une bonne suée pour libérer les hormones du plaisir, et dans cet état d'exaltation il vous semble que le cerveau fonctionne mieux, que les idées ont la clarté de l'eau.

Pour le contemplatif, vous ne saurez plus où donner de la tête, cette fleur qui se contente d'une faille dans le rocher, ce bouquetin altier, ce choucas frondeur, et la lumière qui varie constamment sur le relief, l'impression que vous avez eue il y a cinq minutes a laissé place à une tout autre à présent. Ajoutez-y la flore exubérante du début d'été, les teintes ocre des mélèzes à l'automne, les jeux d'ombre et de lumière sur la neige qui adoucissent les formes, et l'exubérance de l'eau au printemps. Y a plus de saisons, ma petite dame ? Allez passer douze mois à mille mètres ou plus, vous réviserez votre jugement…

Nous nous étions donné rendez-vous à sept en cette fin de mois de juin sur les hauteurs de Grenoble, sept comme autant de samouraïs, l'idée étant d'aller à La Croix de Belledonne que tout randonneur grenoblois se doit d'atteindre une fois dans sa vie. Nous fêtions pour l'occasion une curieuse date anniversaire : les quarante-neuf ans et demi d'un des larrons et pour se faire nous avons décidé de snober la voie normale de l'ascension et de rejoindre La Croix en traversée via le Grand pic et le Pic central. Afin de mettre toutes les chances de notre côté, nous avons quitté le refuge avant les premières lueurs de l'aube, c'est que les topos indiquaient une dizaine d'heures pour boucler la course et certains avaient une invitation à honorer lors du repas du soir.

En aval du couloir de neige, nous avons appliqué à la lettre notre plan de bataille : trois cordées, et une fois gravi celui-ci, nous avons quitté « les grosses » pour les chaussons d'escalade, les rochassiers allaient pouvoir s'exprimer.

L'arrivée au Grand pic s'est faite sans trop d'encombres mais en alpinisme, l'adage « l'union fait la force » n'est pas aussi pertinent que dans d'autres domaines, témoin la première ascension du Cervin où après être montées à sept, seules trois personnes en sont redescendues, ce qui est une opération comptable bien approximative.

Et à quinze heures, après seulement le tiers des difficultés derrière nous, il eût été plus judicieux de rebrousser chemin, mais mus par la dynamique de groupe…

Nous nous sommes réorganisés en deux cordées mais les descentes en rappel ont été chronophages, on ne fait pas descendre des bipèdes comme on enfile des perles même si pour gagner du temps nous aurions aimé ressembler à un collier, mais là, les experts sont formels : un rappel n'est pas une thérapie de groupe !

Ce n'est qu'à vingt-trois heures que nous avons embrassé la croix, et s'il y a un moment dans nos vies où la foi nous a paru inébranlable, c'est bien lors de cette étreinte.

Sous un ciel étoilé avec trois quarts de lune, chaque Roméo a pu dire à sa Juliette que grosso modo, c'était une bonne idée de commencer à manger et qu'on n'allait pas être en avance… La figure libre que nous étions en train de réaliser portait un nom : explosion des horaires !

Restait bon poids trois heures de descente, mais c'était sans compter que rien ne remplace la luminosité de l'astre solaire, pas même les frontales, et après avoir perdu le chemin il a été convenu que ce pierrier ferait l'affaire pour passer ce qui restait de nuit, Belledonne virait à la fausse donne.

Et là, les sept samouraïs avaient plutôt l'air d'autant de pieds nickelés, et force est de reconnaître que sortir de sa zone de confort, ça peut être intéressant, mais d'y revenir, c'est pas mal non plus…

En reprenant la descente au petit jour, la caravane faisait plus que son âge et sentait l'écurie dans tous les sens de la formule.

Fallait voir la mine déconcertée des randonneurs montants qui semblaient se dire : quels sont ces allumés qui évoluent à contresens par un si beau dimanche ?

Rendus au parking, la collation-débriefing a eu une saveur particulière, mais l'année d'après, pour les cinquante ans et demi, nous n'avons pas récidivé…

Émergence de la beauté

Est-ce la fin de la dépression ?

Est-ce le sens de l'esthétique qui était là, tapi pendant des années et qui ne demandait qu'à sortir ?

Serait-ce les stimuli éducatifs et environnementaux positifs qui ont germé, un peu comme la larve de la cigale qui patiente sous terre depuis des années ?

Est-ce la sensibilité au négatif, au mal, au laid qui jusque-là a primé ?

« La beauté sauvera le monde » comme disait l'idiot dans le roman de l'immense barbu russe, le moins qu'on puisse dire est qu'elle a du pain sur la planche !

Comment se fait-il que sur le tard une fleur, le regard d'un enfant déclenche cette émotion ? Alors que le vulgaire, le mesquin, le bancal étaient présents dès les premiers moments de conscience, au plus jeune âge, un perpétuel caillou dans la chaussure quelle que soit la pointure. Accueillir la beauté, n'est-ce pas déstabilisant ? Alors, autant s'en protéger, s'en prémunir, ne pas la voir et ne jamais sortir sans ses œillères.

Et si ça venait d'elle ? S'il fallait un terreau chiadé nécessaire à son éclosion ? Que cette capricieuse ne daigne se dévoiler que par intermittence comme cette fleur qui apparaît tous les dix ans ? Ou comme cette variété de bambou qui fleurit tous les cent vingt ans ? Essayez de lui donner rendez-vous, elle vous posera un lapin ; vous êtes sur le point de la nommer ? Cette sylphide s'est évaporée !

Le comble, c'est qu'elle a toujours été là ! Tous les jours, en tout lieu, par tous les temps ! En somme, elle nous attendait, la discrète.

Et si la rencontre ne s'est jamais produite, sommes-nous pour autant passés à côté de la vie ?

Et passer à côté de la vie, c'est grave, docteur ? Peut-on se consoler en se disant que l'on fera mieux la prochaine fois ?

Sans la beauté, les plateaux de vie d'une balance crédit/débit peuvent-ils être équilibrés ? Quand dans une vie de souffrance se refusent à vous, beauté, joie, décontraction, bien-être, comme ces femmes afghanes qui souhaiteraient seulement pouvoir s'asseoir un moment et boire un verre d'eau, la vie vaut-elle d'être vécue ? Et quand on s'adresse au Très-Haut, dans une foi vacillante et qu'on lui demande ce que vaut la beauté, la bonté et le reste face à ce déferlement de maux et de violences, qu'a-t-il à nous répondre ?

C'est là que le Slave épileptique excelle et qu'il abat sa dernière carte en guise de conclusion ultime : si le Très-Haut à Barbe Blanche n'a pas supprimé le mal, c'est par infinie considération pour la liberté de sa créature. Bluffant !

Ne nous torturons pas davantage, la vie n'est pas faite pour qu'on y réfléchisse, c'est déjà pas une mince affaire si vous avez réussi à supporter le monde autour de vous, sans compter l'exploit que constitue le fait de se supporter soi-même ! Vous n'avez pas tutoyé la beauté absolue ? Certains l'ont fait et s'y sont brûlé les ailes ; dans la mesure où vous avez aimé et été aimé…

Bon, pour ce qui est d'aimer, chacun doit savoir comment se situer, mais avoir été aimé, c'est une autre paire de manches !

Procédez alors comme un détective, par recoupements et déductions logiques, et avec une lichette d'auto-persuasion, la conclusion de l'enquête vous sera favorable.

C'est comment qu'on freine ?

FORT. Des quatre fers. Avec le Telma si vous êtes en camion. Quand on songe aux temps anciens, très anciens, paradisiaques, qu'est-ce qu'on se la coulait douce ! Et vas-y que je te conte fleurette sous le pommier, que l'on se love… avec le serpent ! Le tout dans des conditions anticycloniques bloquées sur le grand beau. Un rien nous habillait à l'époque.

Mais ça s'est compliqué sévère à partir du moment où le fruit Newtonien est resté coincé, fausse route sans doute. En trois coups de cuillère à pot, l'autoroute a pris le pas sur la (fausse) route et l'homme n'a juré que par l'accélération. Bien mal lui en a pris, frappé d'agitation et de frénésie, la colique ne l'a pas épargné. Vite, toujours plus vite. Jadis, il mettait cinq jours pour faire cent kilomètres, c'est en minutes qu'il faut compter maintenant pour abattre la même distance. Et que fait-il du temps gagné ? Rien de bon. Gardons-nous toutefois de toute exagération, il a progressé et a encore gagné du temps. Il expédie le tour de la terre (et pas seulement aux pôles !) en quelques heures ; à son retour, il comble son entourage de présents immédiatement passés, quand ce n'est pas de virus transportés dans ses viscères.

Lorsqu'il s'exprime, son débit tient de la mitraillette, pourtant il ne finit pas ses phrases car le téléphone l'interrompt. Comme la thrombose guette les transports terrestres, il envisage les déplacements aériens en biplace, triplace ou peu de place. Il reçoit des nouvelles et des images de ses proches lointains en un clic, cette fièvre de communication accélère son pouls, son poids, sa perte.

Comment l'homme peut-il ralentir le jeu et ainsi gagner du temps (!) sur le crash final ?

En faisant un pas de côté : le premier consiste à faire un peu de vide avec le trop-plein de ses journées, un peu comme une armoire surchargée qu'il s'agirait d'éclaircir, ça oui ça oui, je garde, ça non ça non, j'escampe. Se dégager du temps pour ne rien faire et le faire avec passion, en mettant tout son cœur à l'ouvrage, peigner la girafe, masturber le mammouth, être bienveillant envers sa ménagerie. Se garder du fantasme qui voudrait qu'une vie bien remplie soit nécessairement une vie accomplie.

Un autre pas de côté : se déprendre des choses, garder l'essentiel, un vélo, des livres, une bonne paire de chaussures, de quoi écouter de la musique. Plus ce serait trop. J'ai un ami épatant qui a quitté notre hexagone pour l'Amérique centrale avec... deux valises, à la soixantaine, quand en principe on a amassé et amassé jusqu'à rendre nécessaire le superflu.

Continuons en mode crabe : la sur-stimulation, laissez-la à d'autres, faire deux choses en même temps puis trois puis quatre et même treize à la douzaine, vous, votre truc c'est creuser un même sillon, cependant que les multitâches s'affairent en défrichant, semant, arrosant, récoltant et tutti quanti.

Toujours le déplacement latéral du crustacé : de la patience et fissa. Habiter l'instant présent, être de plain-pied avec les choses, même dans une file d'attente, même si la personne attendue n'est toujours pas arrivée et a fait voler en éclats le quart d'heure méditerranéen. Ayez en tête la performance de cet illuminé qui s'est posté plusieurs années face à un mur dans une quête métaphysique, saluez sa patience tenace et obstinée, même si la conclusion est assez décevante au regard de l'investissement : « je n'ai rien trouvé ».

Dans un ultime pas de côté, cultivez votre dilettantisme, personne ne doute de votre sérieux, de votre application et en plusieurs occasions vous avez fait montre d'une ponctualité de Suisse-Allemand.

Pourtant dans un domaine aussi primordial que le ménage, il vous est arrivé de négliger volontairement ce mouton ou cette toile d'araignée en tenant le raisonnement suivant : si le ciel peut attendre, ces scories le peuvent aussi !

On récolte ceux qu'on aime

Ce n'est pas être cocardier que de dire que la France est un beau pays, un des plus beaux qui soient, et que ce qu'il y a de plus beau dans la culture française, c'est son agriculture. Montez sur un point haut d'où la vue peut porter, observez le patchwork des différentes exploitations, la variété des couleurs et des formes, songez qu'une belle campagne est une campagne entretenue, de même qu'une montagne avec ses pâturages.

Les journées du patrimoine sont une occasion de visite de monuments et autres musées mais également la possibilité de mieux connaître le patrimoine botanique de nos régions et c'était un peu l'objet de notre déplacement dans cette île qualifiée de perle de la méditerranée.

Rendez-vous était donné sur les coups de dix heures, le guide, femme d'une cinquantaine d'années, propose à un comité d'une dizaine de personnes une visite d'une heure trente à travers l'île et ses principales plantations. Le premier arrêt est l'occasion d'admirer l'arbre roi de la méditerranée, l'olivier. Les variétés sont innombrables et ce que nous prenons pour un buis, cet arbre malingre et rabougri est bel et bien un olivier, du Kenya en l'occurrence.

Certaines années, l'olivier est quasiment stérile et ne donne que quelques olives : la pollinisation ne s'est pas faite en bonne et due forme ; normalement, elle se réalise par autofécondation entre fleurs mâles et femelles et plus sûrement par dissémination des pollens provenant d'autres variétés, il est alors pertinent de planter en fonction des vents dominants.

Nous buvons les paroles de notre conférencière dont l'étendue des connaissances n'a d'égale que l'humilité de les faire partager. La promenade se poursuit et nous arrivons sur le lieu de culture du mûrier, c'est l'occasion de découvrir que les dimensions et le goût de son fruit n'ont rien de commun avec la mûre du mûrier ronce.

Le clou de la visite est l'arrivée sur les lieux de plantations du figuier, avec à la clé une dégustation de figues sélectionnées sur l'arbre. Le miracle de la pollinisation du figuier est rendu possible par la présence d'une minuscule guêpe femelle qui s'introduit dans le fruit en apportant des grains de pollen. Ce passage en force lui coûte ses ailes mais cela ne l'empêche pas de déposer ses œufs dont les larves participeront du développement de la figue.

Quand le guide nous propose un détour vers les bâtiments qui abritent le laboratoire de recherche, nous acceptons unanimement, conscients de vivre un moment spécial, et c'est en pénétrant dans les locaux que nous comprenons que notre accompagnatrice n'est autre que la directrice des lieux. Il nous est donné d'observer les milliers de graines rangées en chambre froide, avec les techniques de déshydratation indispensables à leur conservation.

Parmi les amateurs éclairés qui échangent avec le guide, un passionné de plantes méditerranéennes se distingue non seulement par ses connaissances mais aussi des expérimentations qu'il mène avec d'autres personnes rassemblées en association. Cette information va droit au cœur de la directrice qui explique avec un sourire radieux mettre en commun certaines recherches pour le bien de la science, ainsi, elle connaît cette association.

Il est près de treize heures lorsqu'il est temps de se séparer, le temps de visite a presque doublé et nous n'avons pas vu l'heure tourner. En cheminant vers un lieu de restauration, nous nous livrons à toutes sortes d'hypothèses non scientifiques : comment une personne mariée à son travail trouve-t-elle le temps pour une vie sentimentale ou familiale ?

Dubitatifs, nous n'avons pas de réponse, mais en arrivant au village, nous constatons que parmi les membres de notre assemblée, une personne manque à l'appel…

Je crois que je l'ai déjà eue

Quoi ?

La scarlatine ?

La varicelle ?

La rougeole ? La pécole ?

Non, je veux parler de la chtouille du pangolin faisandé, celle qui nous fait passer pour des scaphandriers à qui on aurait progressivement bouché les tuyaux d'arrivée d'air. Jusque-là, nous n'en manquions pas et jamais la modestie ne nous a étouffés, la maîtrise et la domination du monde faisaient plaisir à voir. Là d'un coup, c'est devenu moins créatif et un peu plus peine-à-jouir, quelle déception ! On avait pourtant réussi la transplantation d'un cœur de babouin, réalisé la greffe de main, on allait s'attaquer à la greffe de cerveau car certains en avaient bien besoin… et là on cale, on butte sur un rhume pas sympa, qui s'avance masqué de surcroît et plonge nos poumons en dessous de la ligne de flottaison.

Pour éviter l'hécatombe, l'homme se met à l'écart. Face à lui-même, dans une solitude non consentie, il s'étiole. Ce n'est pas son truc les interrogations pascaliennes, où cours-je, où vais-je, dans quel état j'erre ? Traité comme un pesteux, il est confiné dans un temps vitrifié. Jour, nuit, jour, nuit, il demande à sa sœur si elle voit venir quelque chose, mais non, toujours rien. Il déplore l'absence de rassemblements où l'on se tenait chaud. À quand les bains de foule, les enceintes sportives où l'on se plaisait à encourager les dégagements du goal de l'équipe adverse par un « oh hisse enc… » ?

En attendant le retour des régressions de groupe, il ronge son frein, sa fragilité psychologique a augmenté en même temps que son espérance de vie biologique. Tendu vers tous les termes du futur, sa temporalité a été oublieuse du passé, même récent, quand la grippe espagnole décanillait tout ce qui bougeait. Il se croyait à l'abri mais à trop vouloir zigouiller les pangolins, il a ouvert une boîte de Pandore pas simple à refermer.

Faut dire que ce n'est pas facile de rejouer la tombola de sa naissance, la venue au monde, quand il s'agissait de choir dans un nom, une famille, un pays. Avec ce rhume mauvais, la grande faucheuse frappe au hasard avec une préférence quand même pour les vieilles plantes ; il arrive aussi que ses balayages ne rencontrent que le vide, mais quelquefois en visant un tel, elle en empègue un autre. À quel saint se vouer, je vous le demande ?

Alors advienne que pourra, on slalome comme on peut autour des microparticules toxiques et on a beau se dire que la petite bête mangera pas la grosse, notre sérénité n'est pas compacte ni sans fissures.

Et pour contrer l'anxiété, la philosophie nous tend ses petits bras et tente de nous épauler ; tiens, cette idée par exemple : si tout doit s'arrêter demain, la vie aura été belle, place aux jeunes.

Pas sûr de vous avoir convaincu, d'ailleurs même moi…

Confidences pour confidences, j'aurais bien aimé tâter de la guitare, m'époumoner dans une chorale, apprendre à jouer au bridge…

Pour le moment, tous logés à la même enseigne, ballottés dans le même bateau, disons plutôt coquille de noix ou galère.

Le pangolin, lui, a débuté une nouba qui peut perdurer sur plusieurs générations…

Un multiplié par un = pas grand-chose

Il fut un temps où être gardien de phare semblait être le seul métier envisageable mais l'automatisation des édifices et la nausée induite par la houle en ont décidé autrement. Autrui était alors considéré comme un empêcheur de tourner en rond et comme un formidable vecteur d'emmerdes. L'opération algébrique en vogue était la soustraction : moins lui, moins elle, moins eux, moins elles, égale une existence peinarde. Avoir suffisamment en soi pour ne pas faire appel aux autres, la maxime du pessimiste de Francfort avait tout pour plaire.

S'il avait fallu opter pour un nouveau patronyme, Crusoé aurait été l'idéal et dans le règne animal, parmi les animaux solitaires, le ver et l'ours (mal léché) auraient eu ma préférence.

Cette vision avait ses limites, nombreuses. Tentez de rire seul, vous risquez la camisole. Penchez-vous sur votre carnet de santé, les pesées régulières, la croissance de zéro à deux ans, les vaccins, la nourriture que vous avez ingurgitée les premières semaines après la naissance, écrasée de pomme de terre, compote de fruits, on s'est occupé de votre fragile personne, on a toussé pour vous.

Et quand, boursouflé d'orgueil, vous osez prétendre que là où vous en êtes arrivé dans la vie, vous ne le devez qu'à vous-même, tintin !

Ne soyez pas ingrat, n'oubliez pas les maîtresses et maîtres d'école, vous étiez remuant, on vous a canalisé ; ou plutôt introverti, on vous a aidé à sortir de votre coquille. Et à la maison, si vous n'avez pas eu la chance d'avoir des parents très présents, d'autres personnes ont pris le relais.

Vous vous obstinez ? Vous balayez ces remarques d'un revers de la main ? Si tout ça a si peu compté, jetez un coup d'œil sur Victor, l'enfant sauvage, et convenez qu'il a pour le moins manqué de soutien !

La vérité, c'est que l'on n'est rien sans les autres, vous avez été façonné par toutes vos rencontres, et vos plus grandes joies comme vos plus profondes peines, toutes les émotions primordiales, c'est à votre entourage que vous les devez.

Sans quoi, vous aurez vécu petitement, de manière étriquée.

Puis viendra le temps de la transmission, de l'échange, quand le regard d'un enfant s'allume et que vous êtes payé en retour par la fraîcheur d'une pensée. Oh, ce n'est pas que votre vie doit être érigée en modèle, mais si l'occasion se présente, parler de son expérience, donner deux trois pistes pour ne pas être trop couillon de la lune.

Et révéler qu'à cheminer des années sur une ligne de crête, il y a de nombreuses fois où les gadins sont inévitables. C'est là qu'il faut savoir se relever, faire profil bas sans pour autant la jouer trop bourrin, du type « ce qui ne te tue pas te rend plus fort ».

Et quand d'aucuns prônent la prudence, vous préférez mettre en avant l'audace et la liberté, en ayant conscience de la chance que l'on a de pouvoir avancer dans ces directions, là où certains, dans d'autres contrées, ne rencontrent que des sens interdits, voir percutent des murs.

Ceci étant dit, après toutes ces amabilités sur la sociabilité, si vous me proposez une ola station debout et bras en l'air, ce sera non.

Idem pour une foire, d'empoigne ou autre.

Une manif, un congrès, un rassemblement, ce sera toujours non.

Difficile d'oublier, comme pouvait le chanter le poète moustachu, qu'au-dessus de quatre, on est une bande de cons.

Quand ça grouille et qu'il y a un trèfle comme ça, je ne me sens pas dans mon assiette.

Le seul bain de foule qui m'a paru reposant, c'est la visite des catacombes.

J'en ai tiré une belle leçon d'humilité et cela m'a rappelé l'épitaphe d'un autre poète :

« Je vécus nul, et certes je fis bien ;
Car, après tout, bien fou qui se propose,
De rien venant, et retournant à rien,
D'être ici-bas, en passant, quelque chose »

Le compte n'y est pas !

Je n'ai jamais été d'accord avec le spot publicitaire qui faisait rimer bon vivant et prévoyant, tout ça dans le but de refourguer une convention obsèques. Je me suis toujours figuré le bon vivant comme un être jovial empli d'une bonne dose d'insouciance et non comme un tracassé du bocal qui met de l'argent de côté, dans la perspective de réussir au mieux sa fin de parcours terrestre. Prévoir, anticiper, verrouiller l'avenir sont autant de vaines attitudes quand la vie se charge de déjouer tous les pronostics et vous laisse pantelant d'anxiété avec la même ritournelle dans la tête : encore raté !

Ayant fait le choix de vivre d'expédients, j'ai souvent fait preuve de vigilance pour ne pas gagner trop d'argent et la seule fois où un C.D.I. m'est tombé dessus, je n'ai pas eu la sensation d'avoir décroché la lune. L'important est de trouver sa place dans la vie, j'ai trouvé la mienne en double file avec les warning quand il fallait aller rendre visite aux banquiers :

j'accompagnais ma concubine, c'est elle qui se cognait les financiers, j'en avais assez de les faire bailler.

Il faut reconnaître les compétences dans un couple et ne pas hésiter à déléguer et se répartir les rôles : après avoir occupé quelques mois le leadership financier au début de notre relation, il a été décidé que ma pacsée était plus à même de faire bouillir la marmite, cet équilibre dure depuis des décennies et c'est très bien ainsi. Les femmes ont longtemps lutté et luttent encore pour une autonomie matérielle et il n'est jamais entré dans mes projets de reléguer au second rang sa carrière et de faire barrage à ses ambitions professionnelles.

Du coup, mon rôle et mon statut social peuvent s'énoncer de la sorte : homme au foyer sans enfants, responsable de l'organisation des loisirs.

C'est un rôle casse-gueule où il faut se renouveler et constamment innover autour du duo vélo-rando sans pour autant aller taper dans des activités physiques telles que le base-jump ou le wingsuit, qui peuvent certes procurer de piquantes sensations, mais qui offrent trop peu de possibilités de vivre pleinement sa retraite.

J'ai ainsi suivi ces conseils d'amis qui disaient que c'était une bonne idée de partir du besoin, « de quoi as-tu réellement besoin pour vivre ? »

Et qu'à tout prendre, il ne fallait pas perdre sa vie à la gagner ; ces mêmes amis peu portés sur la société de consommation mais qui ne tiennent pas non plus à être enterrés avec des liasses de biftons. Je ne devrais pas être confronté à la même problématique, et même si j'avais emplâtré un loto à six chiffres avec le complémentaire, qu'aurais-je fait de ce pactole ? La bagnole de luxe ? La villa de Scarface ? Une île dans les Caraïbes ?

La cinquantaine est un cap, notamment en matière de vie professionnelle, cela correspond plus ou moins à l'appellation « séniors ». Si votre parcours a été limpide, vous serez un rouage essentiel de l'entreprise car vous possédez l'expérience. Si votre parcours a été plus chaotique, vous serez sous la menace de la voie de garage, avec une ribambelle de jeunes prêts à compenser votre manque de dynamisme. Quoiqu'il en soit, vous allez recevoir par courrier un récapitulatif de carrière et là, c'est émouvant : une grande partie de votre vie défile sous vos yeux, un contrat de travail par-ci, un autre par-là, la prise en compte du service militaire, quelques périodes de chôme également, bref, une vie de labeur globalement épargnée du surmenage.

Ce récapitulatif vous permet d'appréhender ce que seront vos revenus en bout d'activité, et en principe, passé cinquante ans, les trois quarts de la besogne ont été effectués. Vous découvrez en détail un système bien ficelé, tout à la gloire de notre hexagone, avec des notions qui n'avaient rien d'évident jusque-là : cotisations, trimestres, points-retraite...

On vous indique clairement que vous pouvez vous livrer à un calcul et vous vous prêtez au jeu même si les deux caisses de retraite ont des noms à coucher dehors. Alors, quelque peu fébrile, avec la sourde impression que vous auriez pu faire plus, vous obtenez un résultat que vous communiquez à la principale « intéressée » :

— 800 euros et des bananes, je m'attendais à pire, c'est même au-dessus du minimum vieillesse !

— Montre-moi ça (...) Mon chéri, tu t'es trompé, c'est un montant annuel !

Pas totalement rendu service

Je vous parle d'un temps que les moins de quarante ans ne peuvent pas connaître, celui d'un impôt-temps que l'on devait payer à la nation : l'année du service militaire.

N'ayant pas les pieds plats ni la colonne vertébrale en saucisson, je n'ai pu y échapper ; j'ai bien pensé amener le débat sur le terrain psychique pour tenter de me faire réformer P4, ça n'a pas marché. Consolation non négligeable, je suis affecté au bataillon de Joinville, école inter-armée des sports, sise à Fontainebleau. Les classes, ou formations militaires, sont effectuées dans une configuration privilégiée, écourtées, avec seulement un ou deux week-ends bloqués, et au bout de quelques semaines, la présence dans la caserne devra se faire du lundi midi au mardi midi, avouez qu'il y a pire comme traitement, cela laisse du temps pour les entraînements et compétitions.

Cependant, quand quelque chose ne vous plaît pas dans la vie, même à dose homéopathique, c'est difficilement supportable.

Tirer à l'arme automatique par exemple : la seule fois où il a fallu s'essayer au fameux FAMAS, un crache-pruneaux pétaradant qui prêterait à sourire s'il n'était destiné à faucher des vies, j'ai pas aimé. Une série de cinq balles, les commentaires à chaud de l'expert n'avaient pas été élogieux, teintés d'une ironie toute militaire : « c'est la cadence du GIGN » ! Et au moment d'aller évaluer le résultat sur cible, j'ai eu en pensée le borborygme que les soldats braillent à la veille de leur libération, rab, rien à battre.

Faire le lit au carré a été une expérience positive dans le sens où on apprend ce qui ne nous plaît pas dans la vie, je m'étais pourtant appliqué, et en retour, le supérieur s'est fendu d'un « nous n'avons pas le même degré d'exigence » qui m'a valu de recommencer. Je passe rapidement sur la marche au pas, coudes gainés, menton relevé ; toutes ces contraintes pour faire régner l'ordre, la discipline.

Si vous posez le cerveau et que vous vous soumettez parfaitement à l'autorité, vous obtiendrez une récompense : vous monterez en grade. Cela signifie que vous allez être tyrannique à votre tour, on éructe de joie face à de telles perspectives.

Non, très peu pour moi, je vous en prie, je laisse ma place, passez devant !

N'ayant pas d'atomes crochus avec la psychorigidité, mon équilibre mental, dans ces conditions, passe par une extrême discrétion, se faire porter pâle, tel est mon credo.

Les moyens de transport n'étaient pas à l'époque ce qu'ils sont maintenant ; de retour de compétition, il est parfois difficile de rejoindre la caserne le lundi midi, un courrier de la fédération sportive excusera votre absence, et d'une semaine l'autre, j'oublie les drapeaux trois mois durant.

Problème : les courriers ne sont pas tous partis, encore moins arrivés !

Et le jour où le téléphone grelotte chez mes parents, j'ai la nauséeuse impression d'avoir poussé le bouchon un peu trop loin ; et qu'à force de discrétion, j'ai brillé par mon absence : un capitaine explique que le soldat deuxième classe en question est recherché car porté déserteur, et qu'il doit rejoindre au plus vite son port d'attache !

La convocation dans le bureau de l'officier donne lieu à une sanction, roulement de tambour, verdict : 24 h de garde d'un entrepôt de matériel d'aviron, en solitaire, au bord de la Marne.

Mon amour de la nature et mon penchant pour la solitude ne datent pas de ce double tour de cadran, ils étaient inscrits avant, cet épisode n'a fait que les renforcer, c'est ce que l'on peut appeler une sanction positive.

On me dépose en pleine forêt, en bordure de rivière, je découvre les lieux, les frêles embarcations et esquifs profilés qui servent à cette activité sportive totale qu'est l'aviron, et aussi une cahute-vigie. Soulagement, pas de lit au carré, une table et un cahier où l'on consigne toutes sortes de remarques et de commentaires, pas mal de bluff également : ronde 22 h, r. a. s., ronde minuit r. a. s., ronde 2 h, etc. toujours et uniquement r. a. s.

Inspiré par le cadre et le contexte, j'ai pris le stylo pour écrire une lettre d'amour à ma dulcinée.

Et je ne suis pas ingrat, je remercie la Grande Muette de m'avoir donné l'occasion de m'exprimer !

Les poires plutôt que le salaud

Il y a moult manières d'être salaud, pléthore de façons d'être une fripouille. Difficile de les dénombrer, certains avancent le chiffre de 1001, d'autres réduiraient le total à 15+13 ; des psychologues-experts pensent qu'il y en a autant que de personnalités et que chacun l'a été au moins une fois dans sa vie ; c'est quand on l'a été deux fois que cela pose problème ; imaginez ceux qui l'ont été trois fois ou plus : ils deviennent assurément des salauds célèbres.

Comment opèrent-ils ? Par calcul, par manipulation, par domination, par sadisme ; par lâcheté, en laissant faire.

Le pourquoi n'est que trop évident : cela sert leurs intérêts ; et pour ceux qui possèdent tout, se comporter en crapule peut les arracher momentanément aux griffes de l'ennui : ce salaud-là recherchera alors la distraction. L'histoire regorge de ces personnages et les énumérer est un travail de titan.

La poire ne court pas les rues, la bonne, entendons-nous. Qu'est-ce qu'être bonne poire ? C'est se faire avoir, pas forcément par naïveté, cela peut être se faire berner, en toute connaissance de cause : prends le dessus si ça te chante, pour moi, l'essentiel se situe au-delà… La bonne poire prend des coups, traverse des épreuves, plie mais ne rompt pas, tombe pour mieux se relever.

Dans ce qu'il nous est donné d'appréhender comme maximes philosophiques, il en est une qui tient la corde : dans la vie, il vaut mieux dix fois passer pour la bonne poire de service qu'une seule fois pour un salaud.

C'est encore mieux quand c'est onze.

C'est plus facile de débuter la journée si on applique cette ligne de conduite ; en se mirant dans la glace le matin, on se rase plus sereinement.

Dans la littérature et le cinéma, il y a quelques exemples de poires, personnages tout en gentillesse et bonté, magnifiés par la fiction : Don Quichotte, le prince Mychkine, Forest Gump. Ils sont l'objet de moqueries, quand ils ne deviennent pas des souffre-douleurs ; mais ils continuent de tracer leur route. Lucides sur ce qui leur arrive, incapables de méchanceté, ils sont au-dessus de la mêlée. Leur connaissance du monde est intuitive, avec la naïveté qui sied aux enfants ; de leur esprit découle des conclusions surprenantes, faussement premier degré, et qui font souvent mouche.

Si l'on fouille dans la réalité historique, ces personnages sont rares et leur aura a souvent une forte connotation religieuse.

Mais qu'importe, ils offrent une ligne de conduite qu'il est opportun de suivre si l'on ambitionne de devenir quelqu'un de pas trop sinistre…

Humanum vulgus est

L'humain est vulgaire, pas toujours et même rarement, mais quand il l'est, c'est gratiné.

Comment savoir que vous êtes en présence d'un individu vulgaire ? C'est simple, la sensation de recevoir un uppercut au foie ; ou de faire un tour en décapotable sans couvre-chef, ça décoiffe !

En faisant le parallèle avec la nature et le monde animal, on cherche en vain l'équivalent : un merle qui roterait ? Une biche outrageusement maquillée ? Une girafe qui la ramènerait tout le temps, et ne la mettrait jamais en veilleuse ? On se dit alors que c'est une spécificité humaine, et on demeure interdit devant l'étendue de la palette des attitudes, du raffinement le plus extrême à la balourdise la plus crasse.

Le vulgaire ne s'embarrasse pas de manières, la retenue n'est pas son fort ; il ignore la réserve, la grossièreté est son carburant et la timidité demeure une terra incognita. Il ne doute de rien, et lui inoculer le virus de la tristesse ou de la mélancolie ne pourrait le guérir.

Être vulgaire ne signifie pas forcément employer le mot bite, couille, zob, ou même crotte ; cela signifie, quelquefois même en utilisant un langage châtié, passer en force sans faire cas de l'autre, le tout dans un état d'autosatisfaction primaire.

J'ai cherché des exemples concrets pour illustrer mon propos et voici ce qui me revient en tête.

Un monsieur désire s'inscrire dans une association, ainsi que sa femme ; comme je lui demande si j'orthographie correctement le prénom de son épouse – « Andrée, c'est avec deux e à la fin » –, il me répond du tac au tac – « oui, les femmes, on les met toujours avec deux œufs ! » Vive la finesse !

Descendons d'un cran : un interlocuteur veut me convaincre qu'une connaissance commune est un individu peu fiable, enclin à commettre toutes les entourloupes ; « fais gaffe, s'il peut t'en pousser un bout, il t'en poussera un bout ! »

Un peu moins graveleux, une anecdote rapportée par mon neveu lors d'une sauterie dans une école de commerce, il s'agissait de narguer ses voisins en leur rabâchant et beuglant dans les oreilles : « votre salaire, c'est notre loyer ! » Classe, vous en conviendrez…

Pour finir sur une note plus positive et s'extraire un peu de la vulgarité, retenons la répartie de ce séducteur italien, riche industriel à qui l'on demandait ce qu'il pensait des femmes :

« Je parle aux femmes et non des femmes », aimait-il à répondre.

Et cette définition de ce que peut être un gentleman, selon le prince de l'humour caustique :

« C'est celui qui sait jouer de la cornemuse et qui n'en joue pas ».

Le confort, ça endort

Alors bien sûr, entendons-nous bien, 4/5e et demi des habitants de la planète (ça doit pouvoir se simplifier) aimeraient bien avoir la moitié de ce que l'on possède, et j'en connais peu qui renonceraient au lave-linge ou au bloc évier double bac. Et le jour où ma mère, prenant en pitié mon compte en banque, m'a offert un lave-vaisselle, refuser ce cadeau eût été vexant. Nous sommes quelques-uns en quête de sobriété heureuse qui aurions aimé se contenter de toilettes sèches, hélas le tout-à-l'égout est trop souvent imposé sur nos lieux d'habitation.

Mais si ce fatras de tuyaux, canalisations et d'électroménager nous libère du temps que nous utilisons pour mieux gober du programme télévisuel, autant revenir à l'époque des lavandières et de blanchir le linge en échangeant des cancans, ça soude un collectif et nourrit la sociabilité.

Car c'est le hic, le confort individualise et isole. Quand tout un chacun rêve de la propriété individuelle, si c'est pour ne pas oser déranger son voisin alors que l'on est en rade de sel ou de sucre et ben c'est fort concon. Foutaises que d'accorder du crédit au dicton : pour vivre heureux, vivons cachés. Et les vacances avec le all inclusive, le confort et la sécurité de l'entre-soi dans du privatif grillagé, nein danke ; alors qu'aller au contact des gens pour voir « qu'c'est comment qu'ils vivent », ça vaut peut-être le coup, non ?

Toujours été impressionné par les Vikings qui passaient plusieurs mois sur leurs embarcations en boudant la crème solaire même s'il faut reconnaître qu'un peu de confort aurait peut-être adouci leurs mœurs. Et cet ermite, que ce soit Bernard ou un autre, reclus dans son abri, chérissant ce qu'il a de plus précieux, à savoir sa source, aurez-vous la perversité de le questionner sur le moelleux de sa literie ? Si l'on compare la vie de ce solitaire à celle de cette notable asiatique qui possède 3000 paires de chaussures, où va votre préférence ?

Si vous me répondez autre chose que le va-nu-pieds, il y a peu de chance que nous passions nos vacances ensemble !

Si le diable est dans les détails, le confort s'y loge aussi : c'est une rasade de thé que l'on boit, groggy de froid, au retour d'une sortie en montagne, c'est se lever tôt et, serein, laisser vagabonder son esprit dans les brumes d'une rêverie, l'or d'un silence, tous ces petits riens qui n'ont pas grand-chose en commun avec la grosseur d'un compte en banque. Et sans s'attarder davantage sur cette notion à la noix, passons directement à la notion de luxe, pas celle de l'avoir, de posséder mais celle de l'être, d'habiter l'instant présent et de l'étirer comme une guimauve infinie.

L'arbre, le livre, l'enfant

Ça y est, c'est terminé, pas plus.

Vous aurez passé moins de temps en ma compagnie qu'avec les frères Karamazov.

Si vous avez aimé, chouette !

Sinon tant pis, j'ai pourtant fait de mon mieux, mais n'en dégoûtez pas les autres pour autant.

Si vous m'avez lu patiemment, minutieusement, avec le questionnement du type : « mais qu'a-t-il voulu dire par là ? », cela vous honore.

Puissent ces écrits pouvoir être comparés à une bouteille de vin que l'on partage à plusieurs, à boire à petites gorgées, en incluant les rétroactions nasales, et n'oubliez pas auparavant de carafer le breuvage. Libre à vous de faire des hypothèses sur les cépages, de vous interroger sur l'exposition des coteaux, pourquoi pas de parier sur les méthodes de vinification.

Sachez que j'ai essentiellement travaillé à la main au cours de cette année vingt-vin au millésime plein de promesses.

Pour vous récompenser de l'attention que vous m'avez portée, j'ambitionne d'accompagner vos nuits avec des pensées douces et sucrées ; rien de moins ; je place la barre haut, il n'y a pas de gagne-petit ici.

Ni de pousse-mégot.

Si vous m'avez lu d'un trait, sans reprendre votre souffle, allez consulter, vous êtes au-delà de la satiété, vous risquez l'étouffement, vous vous êtes envoyé un pudding de la veille en une bouchée, c'est diablement indigeste.

Je souhaite quand même peupler positivement vos nuits autrement que sous la forme d'un kouglof pachydermique.

La prochaine fois, faites des pauses, reprenez mon livre en surveillant la cuisson d'un soufflé par exemple.

Ou en gardant votre petit-fils qui expérimente la station verticale.

Si enfin vous m'avez lu en diagonale, en sautant des pages, honte sur vous et votre descendance, je n'aurais de cesse de hanter vos nuits, je vous rejoindrai sous la forme d'un alphabet grotesque et monstrueux où chaque lettre ressemblera à un gnome malfaisant inspiré d'un tableau de Jérôme Bosch.

Une relecture minutieuse sera l'unique solution pour abréger votre calvaire et redonner un caractère serein à vos instants nocturnes.

Quelqu'un m'a dit qu'il y avait trois choses à accomplir au cours d'une vie : planter un arbre, écrire un livre, faire un enfant. Je ne suis pas sûr qu'il m'ait parlé de hiérarchie ou d'un quelconque ordre chronologique.

Je me souviens d'avoir planté un arbre, un fruitier, et c'était pas de la tarte ! Dans une région de moyenne montagne, le sol était dur et peu coopératif, nous n'étions pas trop de deux et il avait fallu y aller à l'huile de coude. L'arbre est-il toujours vivant ? Je poserai la question prochainement.

Écrire un livre a été une entreprise pas évidente.

Peu porté sur la création, mes activités littéraires s'étaient jusque-là limitées à la lecture et quand très récemment il a fallu tenir un stylo, tous les prétextes étaient bons pour procrastiner. Et même si l'assurance augmentait au fur et à mesure que la peur du ridicule régressait, rien n'était gagné, à quoi bon griffonner encore quand tout a été dit sur tout et que l'on peut seulement en changer l'ordre ?

Les choses se sont accélérées quand la paranoïa s'est mise de la partie : « si tu continues à traînasser, on va te piquer les idées ».

Puis, chemin faisant, il est devenu plaisant d'extirper des souvenirs de la mémoire, le temps file à toute berzingue quand on se livre à cette archéologie mentale, et quel plus grand plaisir pour un bipède que de ne pas voir le temps passer ?

Pour ce qui est de faire un enfant, c'est la page blanche.

Toujours resté un inconditionnel de la contraception. La seule période où l'entreprise aurait pu aboutir s'est située entre le temps antédiluvien de la post-puberté et celui de la prise de conscience de la souffrance dans le monde.

Fenêtre météo réduite qui s'est vite refermée. Une fois acquis le sentiment que ce monde était suspect, il s'avérait difficile de s'intéresser de près à la question de la fertilité et du quatorzième jour.

Et en visionnant plusieurs fois « Johnny got his gun », je n'ai pas arrangé mon cas. Ni en gardant longtemps sur ma table de chevet « De l'inconvénient d'être né ».

Depuis, nous avons joué les nounous pour les enfants des autres, et nous avons pris notre rôle à cœur.

Descendance inexistante, les tares et autres vices de forme (physique) ne trouveront pas preneur, on se console comme on peut…

Imprimé en Allemagne
Achevé d'imprimer en mars 2022
Dépôt légal : mars 2022

Pour

Le Lys Bleu Éditions
40, rue du Louvre
75001 Paris